For Anna, who always laughs at my jokes.
Well, usually.
L.C.

To my young grandma, with love.
J.N.

Text copyright © 1993 Lindsay Camp
Illustrations copyright © 1993 Jill Newton
Dual language text copyright © 2008 Mantra Lingua
Audio copyright © 2008 Mantra Lingua
This edition 2008

Mantra Lingua
Global House
303 Ballards Lane, London N12 8NP
www.mantralingua.com
www.talkingpen.co.uk

Etre à la hauteur de Cheetah

Keeping Up With Cheetah

Written by Lindsay Camp
Illustrated by Jill Newton

French translation by
Annie Arnold

Mantra Lingua

Cheetah et Hippopotame adorent raconter des histoires.
En fait, c'est Cheetah qui racontait les histoires.
Hippopotame simplement écoutait et riait –
un rire profond et beuglant.
Les histoires n'étaient pas très drôles, mais
Hippopotame pensait qu'elles l'étaient.
Et c'est pourquoi ils étaient de si bons amis.

Cheetah and Hippopotamus loved telling jokes.
Actually, Cheetah told the jokes. Hippopotamus just
listened and laughed – a deep, bellowy laugh.
The jokes weren't very funny, but
Hippopotamus thought they were.
And that's why they were such
good friends.

Mais une chose à propos d'Hippopotame ennuyait Cheetah
– Hippopotame ne pouvait pas courir très vite.

But one thing about Hippopotamus
annoyed Cheetah – Hippopotamus
couldn't run very fast.

« Viens Hippopotame, » criait Cheetah impatiemment. « Si tu ne peux pas être à ma hauteur, tu n'entendras pas ma nouvelle histoire. »

"Come on Hippopotamus," Cheetah would shout impatiently. "If you can't keep up with me, you won't hear my new joke."

Mais peu importe. Hippopotame ne pouvait pas courir aussi vite que Cheetah.
Aussi Cheetah est devenu ami avec Autruche.
Hippopotame avait envie de pleurer. Mais, à la place, il s'est entrainé à courir
jusqu'à ce qu'il soit tellement essoufflé qu'il dut s'allonger.

But it was no good. Hippopotamus couldn't run as fast
as Cheetah. So Cheetah made friends with Ostrich instead.
Hippopotamus felt like crying. But, instead, he practised
running until he was so out of breath that he had to lie down.

Et il savait qu'il ne pourrait pas être à la hauteur de Cheetah.

And he knew he still couldn't keep up with Cheetah.

Autruche pouvait – presque. Cheetah pensait qu'il était très intelligent d'avoir trouvé un nouvel ami.

« Veux-tu entendre ma nouvelle histoire, Autruche ? » demanda-t-il.

Ostrich could – very nearly, anyway. Cheetah thought how clever he was to have made such a good new friend.
"Would you like to hear my new joke, Ostrich?" he asked.

« Non merci, » dit Autruche. « Je n'aime pas les histoires drôles. Courons encore. »

"No thank you," said Ostrich. "I don't like jokes. Let's run some more."

Cheetah avait assez couru pour aujourd'hui. Il voulait raconter des histoires. Alors il est devenu ami avec Girafe à la place. Maintenant Hippopotame était encore plus déterminé à courir aussi vite que Cheetah.

Cheetah had run enough for one day. He wanted to tell jokes. So he made friends with Giraffe instead. Now Hippopotamus was even more determined to run as fast as Cheetah.

Alors il s'est caché et a regardé Girafe et Cheetah galoper.
Les grandes jambes de Girafe s'élançaient en avant et Cheetah
fouettait sa queue de droite à gauche afin de garder son équilibre.

So he hid and watched as Giraffe and Cheetah galloped by.
Giraffe's long legs flew out in front and Cheetah lashed
his tail from side to side to keep his balance.

Puis Hippopotame a essayé d'en faire autant.
Ce n'était pas facile.

Then Hippopotamus tried to do the same.
It wasn't easy.

Hippopotame est tombé avec un grand BANG !
Cela allait prendre beaucoup de temps avant
qu'il puisse suivre Cheetah.

Hippopotamus fell down with a CRASH!
It would be a long time before he could
keep up with Cheetah.

Girafe pouvait – ou presque.

Giraffe could – very
nearly, anyway.

« Veux-tu entendre ma nouvelle histoire, Girafe ? » Cheetah demanda.
« Pardon ? » dit Girafe. « Je ne peux pas t'entendre de là-haut où je suis. »
« Quel est l'intérêt d'avoir un ami qui n'écoute pas mes histoires ? » pensa Cheetah
de mauvaise humeur.

"Would you like to hear my new joke, Giraffe?" Cheetah asked.
"Pardon?" said Giraffe. "I can't hear you from up here."
"What's the good of a friend who doesn't even listen
to your jokes?" thought Cheetah crossly.

Et il est devenu ami avec Hyène à la place.
Quand Hippopotame a vu ça, il s'est mis dans tous ses états.
Il n'y avait qu'une seule chose qui pourrait l'aider.

And he made friends with Hyena instead.
When Hippopotamus saw this, he felt hot and bothered.
There was only one thing that would make him feel better.

Une bonne grande mare profonde et boueuse.
Hippopotame adorait se prélasser. Plus c'était profond et boueux, meilleur c'était. Mais il ne s'était pas prélassé dans la boue depuis longtemps, parce que Cheetah disait que c'était sale.

A good, long, deep, muddy wallow.
Hippopotamus loved wallowing. The deeper, the muddier, the more
he enjoyed it. But he hadn't had a wallow for a long time, because
Cheetah said it was dirty.

« Bon, » pensa Hippopotame, « maintenant je peux faire ce que j'aime. » Et il plongea dans la rivière – PLOUF ! C'était merveilleux.

"Well," thought Hippopotamus, "I can do what I like." And he dived into the river – SPLOOSH! It felt wonderful.

Alors qu'il était allongé, il pensa qu'il avait été très bête. Il ne pouvait pas courir vite,
mais il pouvait se prélasser dans la boue. Et bien qu'il soit triste de perdre un ami,
il savait qu'il ne pourrait jamais être à la hauteur de Cheetah.

As he lay there, he thought how silly he'd been. He couldn't run fast,
but he could wallow. And although he was sad to lose a friend,
he knew that he would never be able to
keep up with Cheetah.

Hyène pouvait – ou presque. Cheetah était très contente.
« Toc toc, » dit Cheetah.
« Ha, ha, ha, hii, hiii ! » dit Hyène.

Hyena could – very nearly, anyway. Cheetah was very pleased.
"Knock knock," said Cheetah.
"Ha-hee-he-heeee!" said Hyena.

« Tu devrais dire, « Qui est là ? » rétorqua Cheetah. « Quel est le but de raconter ma nouvelle histoire, si tu ris avant le moment amusant ? »
« Ha, ha, ha, hii, hiii ! » cria Hyène.

"You're supposed to say, 'Who's there?' " snapped Cheetah. "What's the point of telling my new joke, if you laugh before I get to the funny bit?"
"HAH-EH-HEH-HEE-HEE!" screamed Hyena.

Alors, Cheetah réalisa que ce dont il avait vraiment besoin était une autre sorte d'ami. Il pouvait courir tout seul, mais raconter des histoires n'était drôle que si quelqu'un écoutait – et riait seulement aux moments drôles. Où pouvait-il trouver un ami comme ça ?

Then Cheetah realised that what he really needed was a different sort of friend. He could run by himself, but telling jokes was only fun if someone listened – and only laughed at the funny bits. Where could he find a friend like that?

Il en avait déjà un ! Cheetah courut à l'arbre ombragé
mais Hippopotame n'était pas là. Comme Cheetah
s'éloignait lentement, il pensa qu'il avait été très bête
de perdre un si bon ami.

He already had one! Cheetah ran to the shady tree but
Hippopotamus wasn't there. As Cheetah walked slowly away,
he thought how silly he had been to lose such
a good friend.

Tout à coup il vit une paire d'yeux
le regardant de la rivière.

Suddenly he saw a pair of eyes
watching him from the river.

« Toc toc, » dit Cheetah.

« Qui est là ? » dit Hippopotame.

« H-iitah, bien sur ! » dit Cheetah.

Et Hippopotame rit et rit.

"Knock knock," said Cheetah.

"Who's there?" said Hippopotamus.

"H-eetah, of course!" said Cheetah.

And Hippopotamus laughed
and laughed.

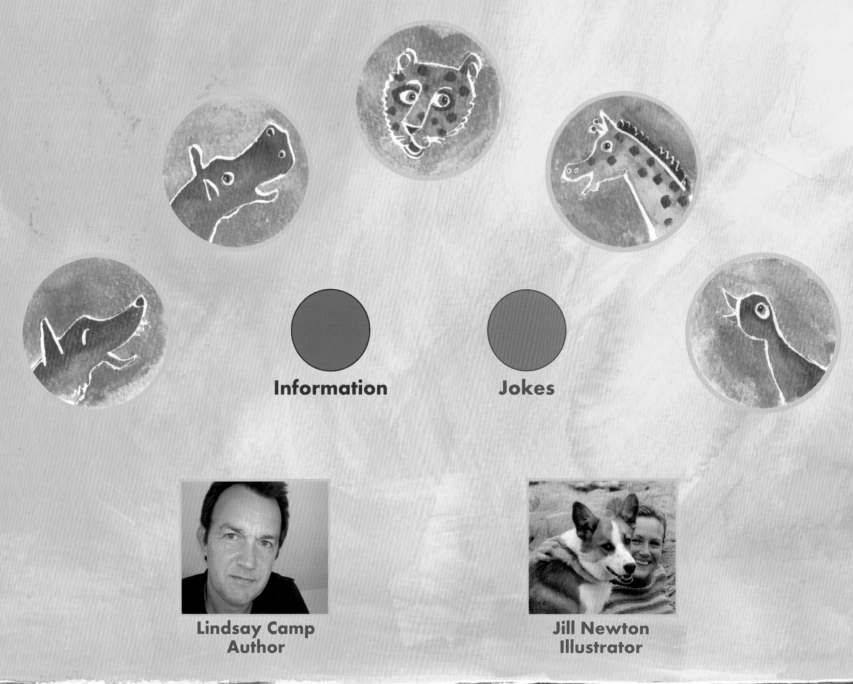

Information

Jokes

Lindsay Camp
Author

Jill Newton
Illustrator

a b c d e f g
h i j k l m n
o p q r s t u
v w x y z

Question